МОСКВА
РОСМЭН
2020

Мальчик-с-пальчик

Жили-были муж с женой. Жили небогато, но и не бедствовали, да только не было у них детей.

— Ах, как было бы славно, будь у нас сыночек! — говорила женщина. — Пусть даже маленький, ростом с мизинчик.

Добрые феи услышали эти слова и исполнили просьбу женщины: через некоторое время у неё родился сын.

Он и вправду был очень маленький, просто крошечный — чуть больше мизинчика. Так его и назвали — Мальчик-с-пальчик.

Мальчик-с-пальчик рос очень бойким и смышлёным. Как-то отец пошёл в лес рубить дрова и всё сокрушался, что некому помочь ему, — пригнать лошадь с телегой. Тогда Мальчик-с-пальчик взобрался на лошадь, уцепился за её гриву и принялся погонять её, крича ей в самое ухо. На беду, заметили это двое бродяг и пристали к отцу.

— Продай нам, — говорят, — своего сына, мы хорошо заплатим!

— Ни за какие деньги не продам, — ответил отец. — Это же мой любимый сыночек.

Тогда бродяги решили выкрасть его: улучили момент, когда отец отошёл, схватили мальчика и убежали.

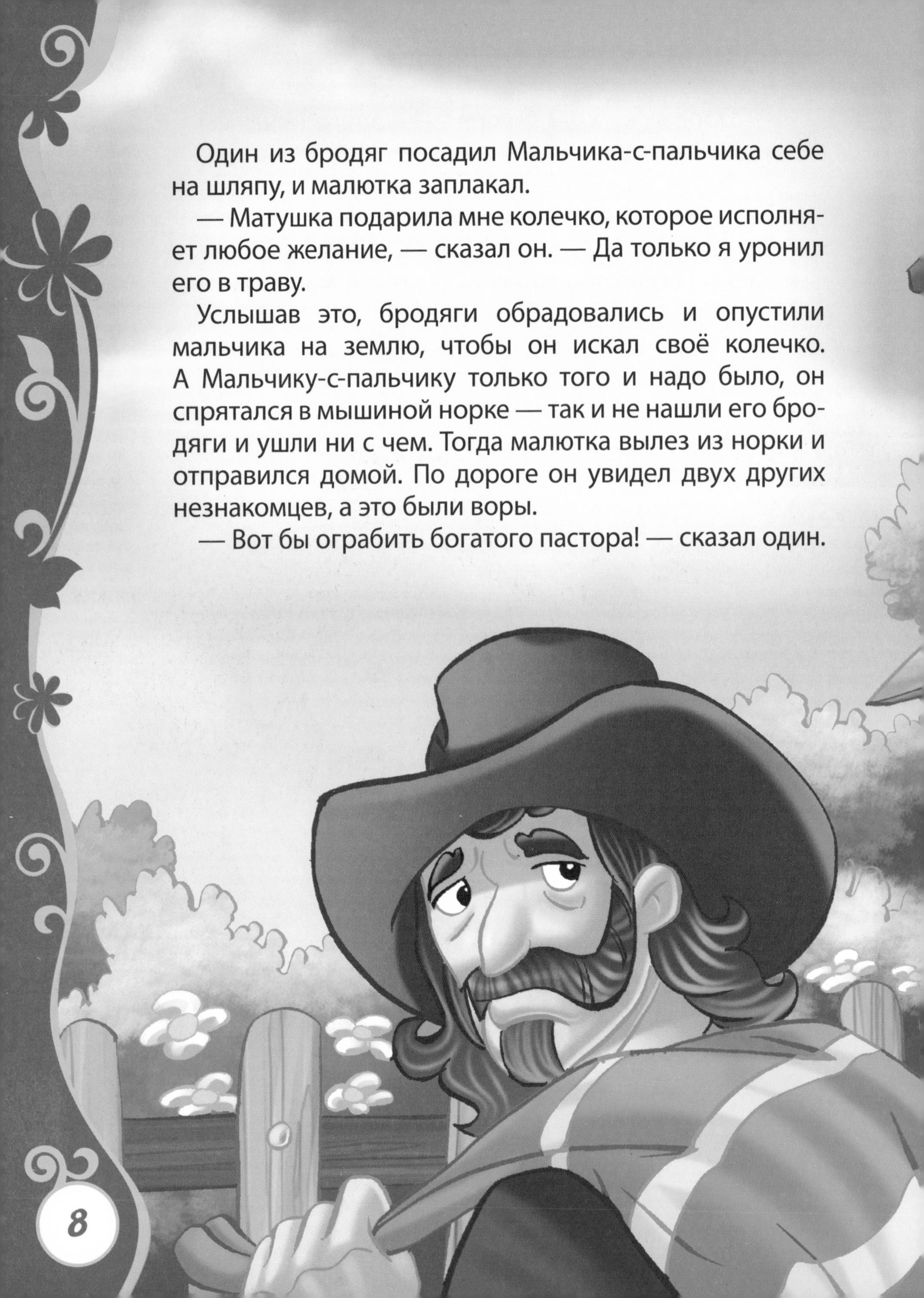

Один из бродяг посадил Мальчика-с-пальчика себе на шляпу, и малютка заплакал.

— Матушка подарила мне колечко, которое исполняет любое желание, — сказал он. — Да только я уронил его в траву.

Услышав это, бродяги обрадовались и опустили мальчика на землю, чтобы он искал своё колечко. А Мальчику-с-пальчику только того и надо было, он спрятался в мышиной норке — так и не нашли его бродяги и ушли ни с чем. Тогда малютка вылез из норки и отправился домой. По дороге он увидел двух других незнакомцев, а это были воры.

— Вот бы ограбить богатого пастора! — сказал один.

Мальчик-с-пальчик желал пастору только добра и уж вовсе не хотел, чтобы его ограбили, поэтому решил перехитрить воров. Он вышел к ним и сказал, что может помочь, — пролезет между прутьями в кладовой пастора и подаст им оттуда всё, что они захотят.

Воры послушали малютку и согласились — взяли его с собой и пошли к дому пастора. Как только Мальчик-с-пальчик забрался в кладовую, он принялся громко кричать:

— Что вам сперва подать, серебро или золото?

От этих криков проснулась служанка пастора и вышла посмотреть, кто это. Воры испугались и убежали, а Мальчик-с-пальчик спрятался в куче сена. Служанка обыскала весь дом, но никого не обнаружила и вернулась в свою каморку.

Рано утром служанка отправилась на сеновал, чтобы задать корм скотине. Взяла она охапку сена и отнесла на скотный двор. И надо же было такому случиться, что как раз в этом сене и спал Мальчик-с-пальчик! И так крепко он спал, что не заметил, как корова проглотила его. Проснулся малютка в животе у коровы, а та тем временем всё продолжала жевать, и сена в желудке у неё стало столько, что он едва там помещался.

Понял Мальчик-с-пальчик, что дело плохо, и принялся кричать:

— Пожалуйста, не кормите больше корову, а то мне не жить!

Служанка, которая в это время доила корову, услышала голос, испугалась и побежала к хозяину.

— Господин пастор, страсти какие! У нас корова заговорила! — закричала она.

Пастор сначала не поверил и пошёл сам смотреть на корову. Тогда Мальчик-с-пальчик закричал:

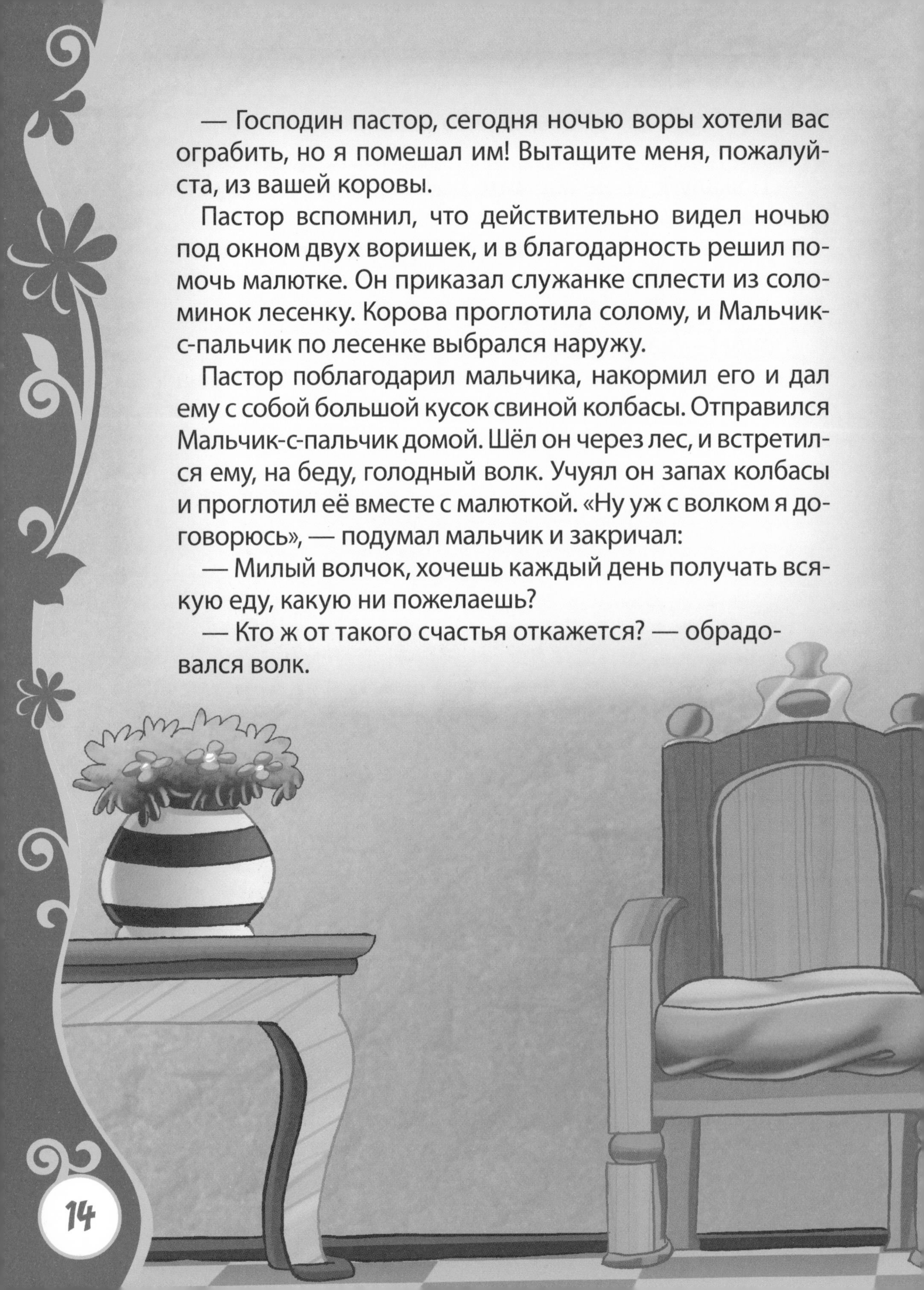

— Господин пастор, сегодня ночью воры хотели вас ограбить, но я помешал им! Вытащите меня, пожалуйста, из вашей коровы.

Пастор вспомнил, что действительно видел ночью под окном двух воришек, и в благодарность решил помочь малютке. Он приказал служанке сплести из соломинок лесенку. Корова проглотила солому, и Мальчик-с-пальчик по лесенке выбрался наружу.

Пастор поблагодарил мальчика, накормил его и дал ему с собой большой кусок свиной колбасы. Отправился Мальчик-с-пальчик домой. Шёл он через лес, и встретился ему, на беду, голодный волк. Учуял он запах колбасы и проглотил её вместе с малюткой. «Ну уж с волком я договорюсь», — подумал мальчик и закричал:

— Милый волчок, хочешь каждый день получать всякую еду, какую ни пожелаешь?

— Кто ж от такого счастья откажется? — обрадовался волк.

— Тогда идём в дом к моим родителям. Я покажу тебе дорогу. Там полно всяких лакомств: и мяса, и ветчины, и колбасы…

Волк, облизываясь, побежал к дому Мальчика-с-пальчика. Он залез в кладовую и так наелся, что не мог выбраться наружу. А мальчик принялся кричать на все лады. На шум прибежали родители малютки — они узнали голос любимого сына и хотели любым путём освободить сыночка. Но Мальчик-с-пальчик попросил не убивать волка. Он подсказал отцу, что нужно

привязать к длинной нитке пуговицу и дать волку проглотить её. Тот так и сделал. Малютка ухватился за пуговку, и отец вытянул его наружу.

Родители уже не надеялись увидеть Мальчика-с-пальчика живым и здоровым и были так рады, что в честь его возвращения устроили праздник. Они пригласили родственников и друзей и даже волка накормили досыта.

Алиса в Стране Чудес

Был жаркий летний день, и Алиса вместе со своей сестрой сидела на берегу реки. Сестра читала книгу, и Алисе было скучно.

Она заглянула в книгу сестры, но там не было ничего интересного. «Зачем нужны книги без картинок?» — удивлялась Алиса.

Вдруг мимо пробежал кролик. Он был бы вполне обычным белым кроликом, если бы на ходу он не кричал: «Я опаздываю!» А потом достал из жилетного кармана часы и, посмотрев на них, побежал дальше. Тут уж любопытная Алиса не выдержала и бросилась за ним. Она еле успела заметить, что кролик исчез в норе у изгороди. Ни о чём не думая, Алиса прыгнула следом.

Девочка провалилась в нору. Она падала и падала, пока наконец не приземлилась на кучу сухих листьев. Она оказалась в длинном коридоре, который выходил в большой зал. Там было множество дверей, но все они были заперты. Вдруг Алиса увидела стеклянный столик,

а на нём — маленький ключик. Он подошёл только к одной дверце — самой маленькой, за которой был виден прекрасный сад. На столике стоял ещё и пузырёк с надписью: «Выпей меня!» Алиса проверила, нет ли на пузырьке пометки «Яд», и выпила его содержимое. Тут она начала складываться, как подзорная труба, и уменьшилась настолько, что могла легко пройти в дверцу.

Тут мимо снова пробежал Белый Кролик и на ходу прокричал:

— Мэри-Энн, беги ко мне в дом и принеси мне мои перчатки и веер!

Алиса побежала туда, куда указал лапкой Кролик, и вскоре увидела его дом. На столике в спальне лежали веер и перчатки, а рядом стояла маленькая бутылочка.

«Отопью-ка я из неё, — подумала Алиса, — и, может, немножко подрасту, а то устала уже быть такой маленькой».

Она сделала несколько глотков и так выросла, что упёрлась головой в потолок. Ей пришлось даже высунуть руку в окно, а ногу – в дымоход. Тут в окно домика полетели камушки. Падая на пол, они превращались в пирожки. Алиса съела один и снова уменьшилась до размеров букашки.

Девочка выбежала из дома Кролика и побежала в лес. По дороге она увидела гриб, на котором сидела Гусеница.

— Откусишь с одной стороны — вырастешь, с другой — уменьшишься, — произнесла Гусеница.

«Стороны чего?» — подумала Алиса.

— Гриба, — сказала Гусеница, словно прочитав её мысли, и уползла.

Алиса попробовала и убедилась, что Гусеница сказала правду. Теперь ей нужно было отыскать тот садик, который она видела за дверцей.

По дороге Алиса встретила Чеширского Кота, выпила чаю с Мартовским Зайцем и Безумным Шляпником. Потом она отыскала чудесный садик, где Королева Червей предложила девочке поиграть в крокет.

Вдруг кто-то объявил: «Суд идёт!» И все игроки побежали в зал. Там на троне сидели Король и Королева Червей. Перед ними стоял стол, а на нём — тарелка с пирожками. Судьёй был Король, рядом сидели присяжные, они что-то писали на грифельных досках.

Белый Кролик объявил, что Валет обвиняется в том, что съел пирожки Королевы. Он вызывал свидетелей, но они ничего не знали про украденные пирожки. Королева всё время кричала: «Голову с плеч!»

Алиса удивлялась, почему при таких странных порядках тут ещё остался кто-то живой.

Неожиданно девочка заметила, что за время суда она опять сильно выросла и еле помещалась в зале. Когда Кролик вызвал Алису и стал задавать ей вопросы, она сказала:

— Как глупо! Я вас не боюсь! Да вы всего лишь колода карт!

Тут Алиса проснулась. Она была на берегу реки. Рядом по-прежнему сидела её сестра и читала книгу. Оказывается, удивительные приключения Алисы в Стране Чудес — всё это было необыкновенным сном.

Джек – победитель великанов

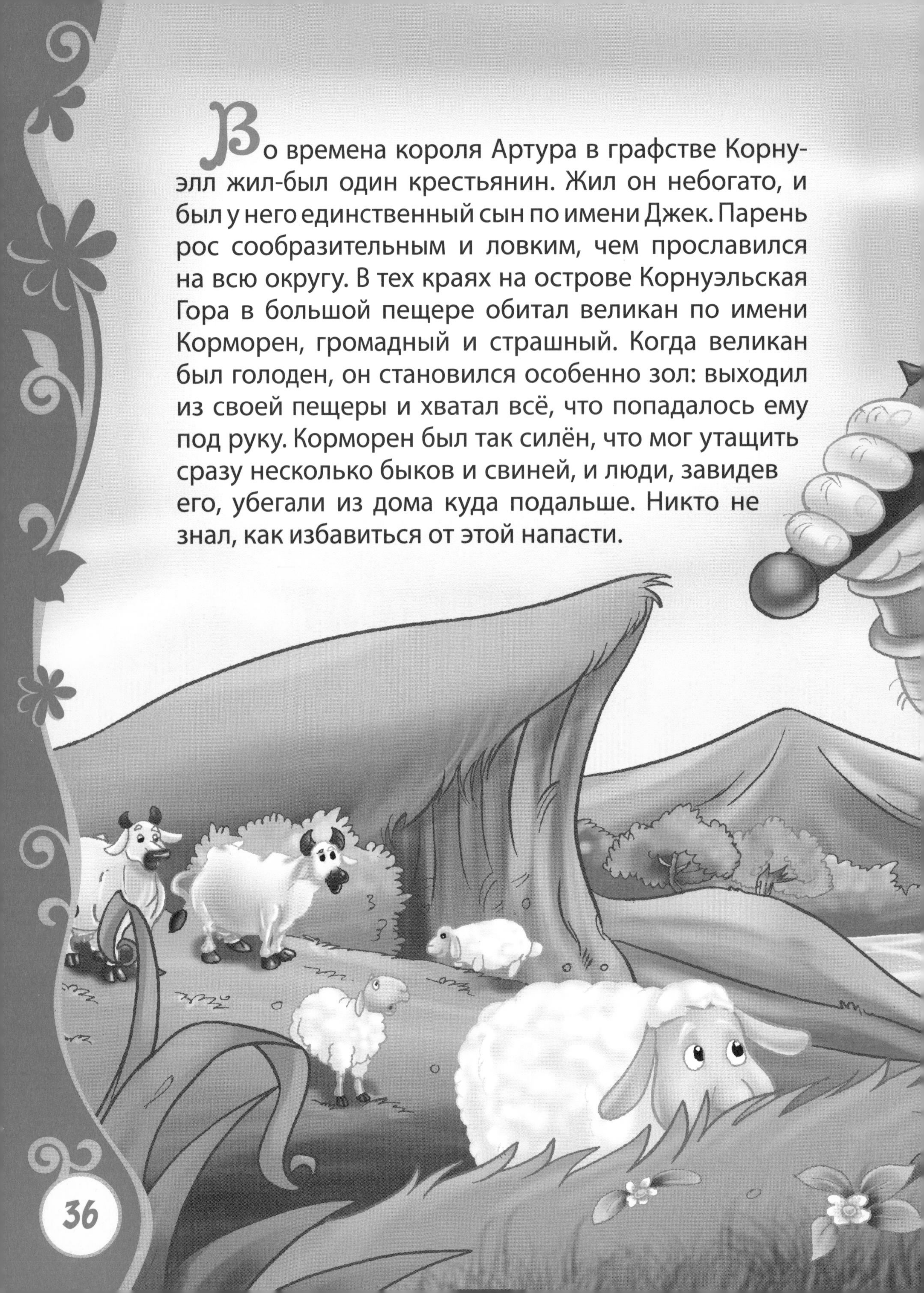

Во времена короля Артура в графстве Корнуэлл жил-был один крестьянин. Жил он небогато, и был у него единственный сын по имени Джек. Парень рос сообразительным и ловким, чем прославился на всю округу. В тех краях на острове Корнуэльская Гора в большой пещере обитал великан по имени Корморен, громадный и страшный. Когда великан был голоден, он становился особенно зол: выходил из своей пещеры и хватал всё, что попадалось ему под руку. Корморен был так силён, что мог утащить сразу несколько быков и свиней, и люди, завидев его, убегали из дома куда подальше. Никто не знал, как избавиться от этой напасти.

Однажды жители Корнуэлла созвали совет и стали думать, как справиться с великаном Кормореном. По счастливой случайности, в городскую ратушу зашёл Джек. Вздумалось ему испытать свою силу и хитрость.

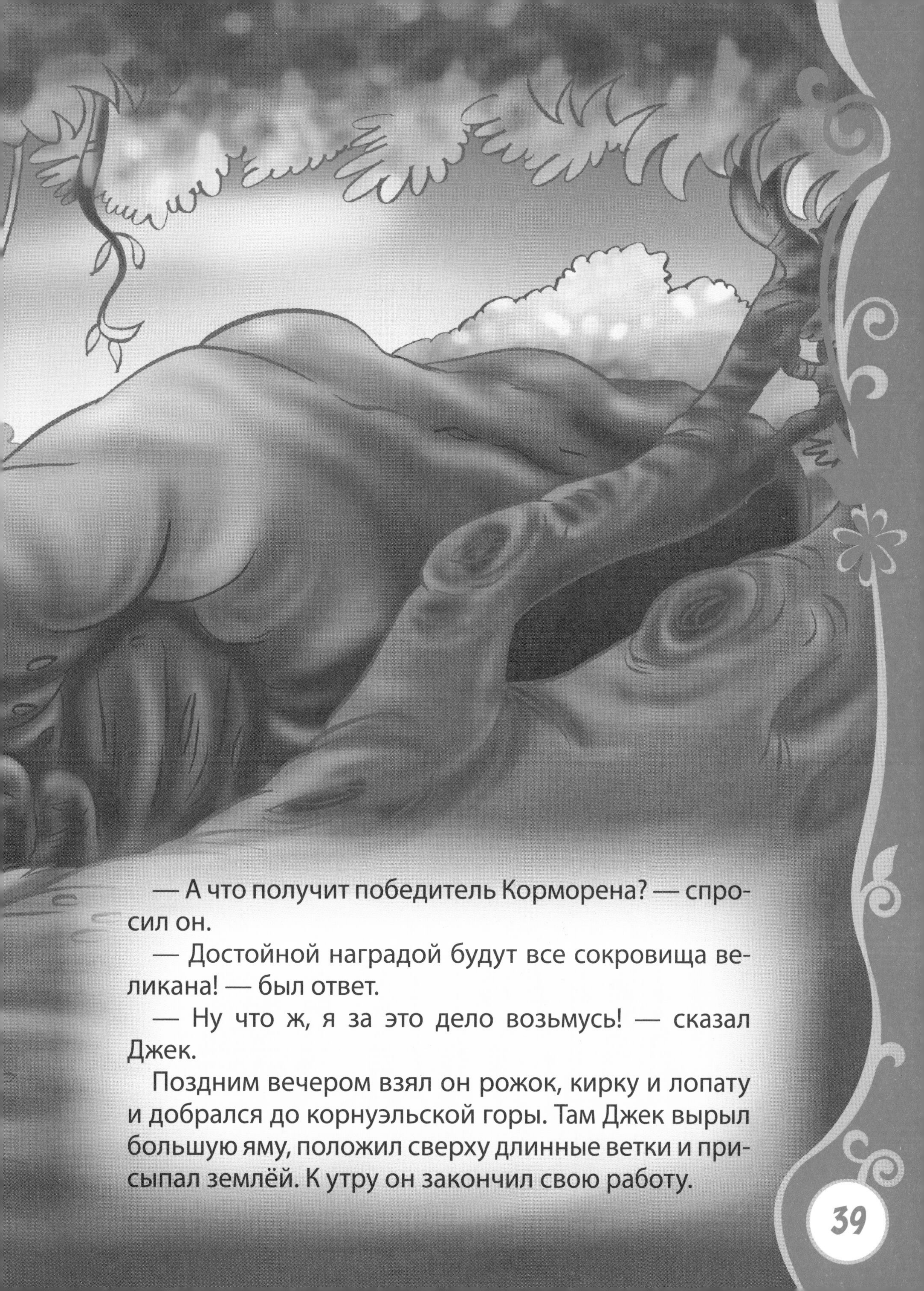

— А что получит победитель Корморена? — спросил он.

— Достойной наградой будут все сокровища великана! — был ответ.

— Ну что ж, я за это дело возьмусь! — сказал Джек.

Поздним вечером взял он рожок, кирку и лопату и добрался до корнуэльской горы. Там Джек вырыл большую яму, положил сверху длинные ветки и присыпал землёй. К утру он закончил свою работу.

Как только взошло солнце, Джек заиграл на своём рожке. Великан услышал весёлые звуки и выбежал из пещеры, чтобы поймать негодника, который его так рано разбудил. Не успел Корморен выкрикнуть свои угрозы, как упал в большую яму.

— Ну что, злодей, попался?! — воскликнул Джек и со всей силы ударил его киркой по голове, а потом отправился в пещеру великана и забрал все его сокровища себе.

Городской глава пожаловал Джеку меч и пояс, на котором были вышиты хвалебные слова в его честь. Слава о Джеке быстро разнеслась по всей Англии и вскоре достигла другого великана, Бландебора, который поклялся отомстить за Корморена.

Как-то раз пришлось Джеку ехать в Уэльс, и путь его, на беду, проходил как раз через лес, где жил Бландебор. Джек притомился и лёг поспать на опушке. Там-то великан его и увидел. Злодей схватил Джека и отнёс в свой замок, а сам пошёл за братом.

Когда Джек проснулся, он увидел, что заперт в замке великана. Но парень не растерялся: он нашёл верёвки, перекинул их через потолочные балки

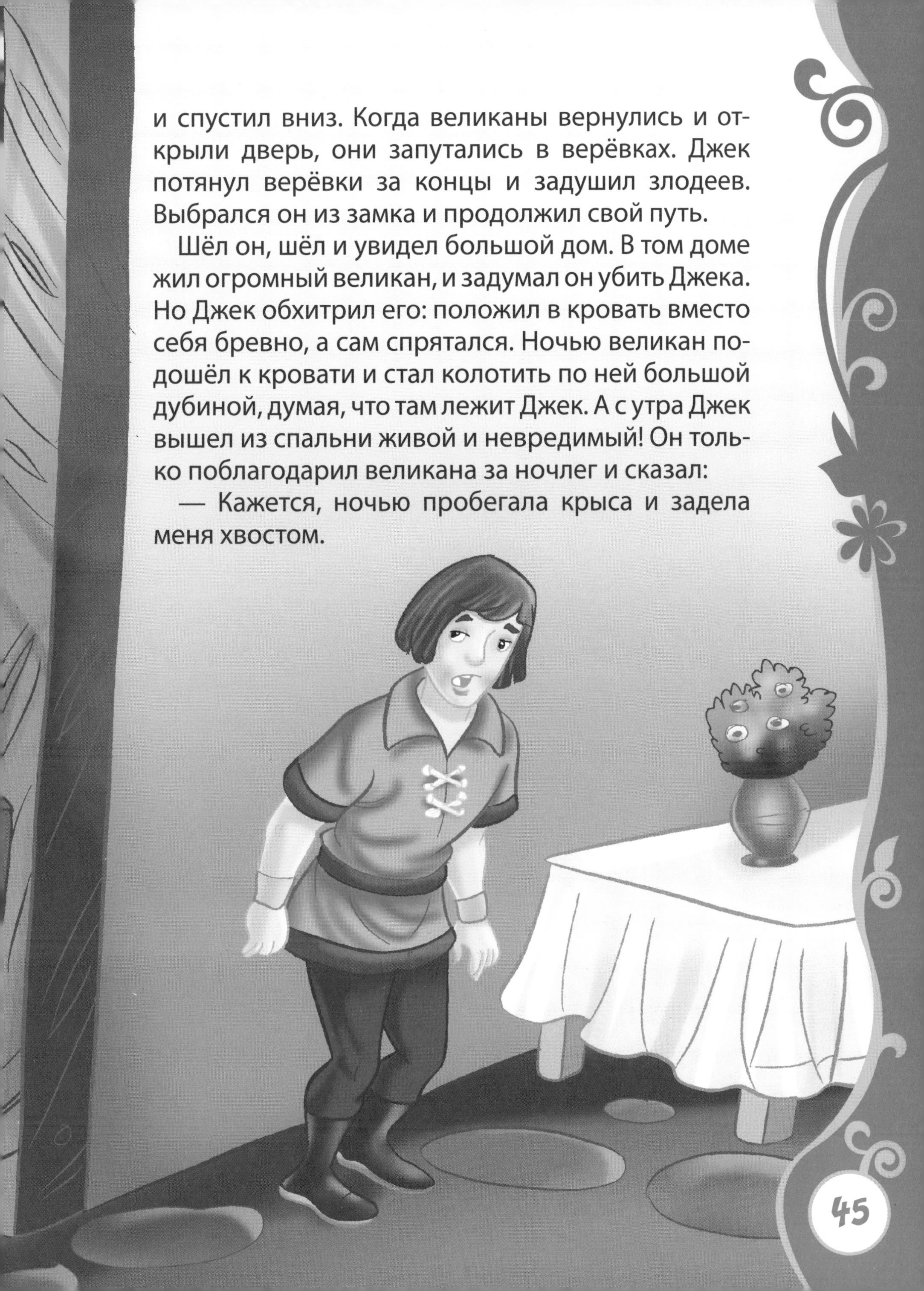

и спустил вниз. Когда великаны вернулись и открыли дверь, они запутались в верёвках. Джек потянул верёвки за концы и задушил злодеев. Выбрался он из замка и продолжил свой путь.

Шёл он, шёл и увидел большой дом. В том доме жил огромный великан, и задумал он убить Джека. Но Джек обхитрил его: положил в кровать вместо себя бревно, а сам спрятался. Ночью великан подошёл к кровати и стал колотить по ней большой дубиной, думая, что там лежит Джек. А с утра Джек вышел из спальни живой и невредимый! Он только поблагодарил великана за ночлег и сказал:

— Кажется, ночью пробегала крыса и задела меня хвостом.

Удивился великан и накормил парня завтраком — целым пудом каши. Джек и тут не сплоховал: сунул под куртку мешок и незаметно стал перекладывать кашу туда. А потом взял нож и распорол мешок. Великан решил доказать, что он не слабее Джека, и тоже разрезал себе живот. Да так и умер.

В то время сын короля Артура отправился в Уэльс, надеясь освободить заколдованную принцессу. Взял он в дорогу достаточно денег, да все потратил, помогая бедным.

Джеку пришлась по душе щедрость принца, и он нанялся к тому на службу.

Дальше принц с Джеком ехали вместе. Денег у них не осталось, и стали они думать, как бы это исправить.

Неподалёку жил трёхголовый великан, и вот Джек отправился к нему и сказал:

— Скоро сюда приедет принц с тысячей воинов, несладко тебе придётся!

Великан испугался, попросил Джека избавить его от беды и подарил ему волшебные вещи: шапку и плащ-невидимку, сапоги-скороходы и непобедимый меч. Джек спрятал великана в погребе,

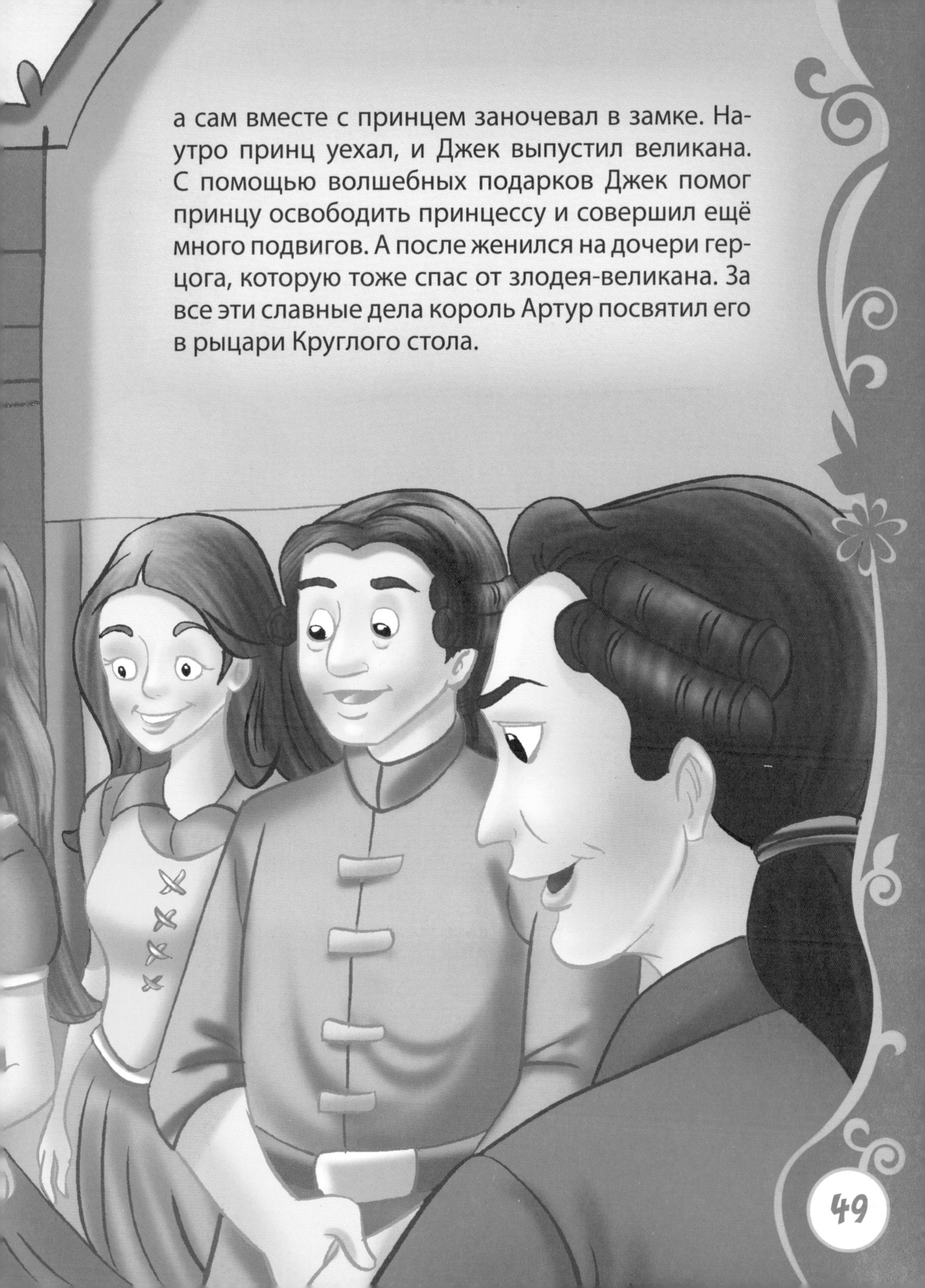

а сам вместе с принцем заночевал в замке. Наутро принц уехал, и Джек выпустил великана. С помощью волшебных подарков Джек помог принцу освободить принцессу и совершил ещё много подвигов. А после женился на дочери герцога, которую тоже спас от злодея-великана. За все эти славные дела король Артур посвятил его в рыцари Круглого стола.

Огниво

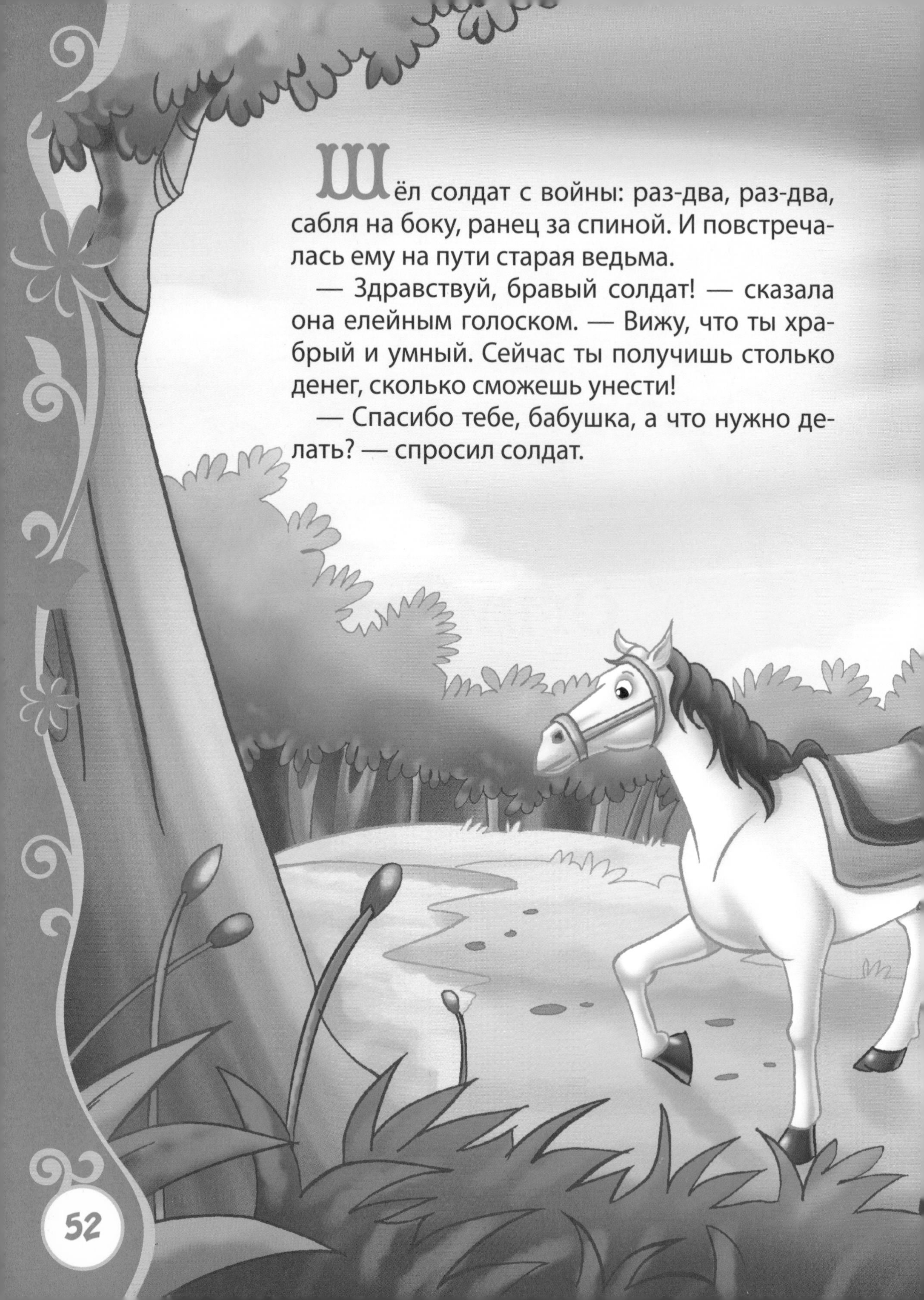

Шёл солдат с войны: раз-два, раз-два, сабля на боку, ранец за спиной. И повстречалась ему на пути старая ведьма.

— Здравствуй, бравый солдат! — сказала она елейным голоском. — Вижу, что ты храбрый и умный. Сейчас ты получишь столько денег, сколько сможешь унести!

— Спасибо тебе, бабушка, а что нужно делать? — спросил солдат.

— Обвяжись верёвкой, забирайся на то старое дерево и залезай в дупло, — ответила ведьма. — Там будет подземный ход, а в нём ты увидишь три двери, за каждой — комната, а в ней...

Ведьма рассказала солдату, что в каждой комнате стоит сундук и на нём сидит собака с огромными глазами. Но бояться собак не надо, нужно взять и посадить их на ведьмин передник, тогда они не тронут. Первый сундук полон медных монет, второй — серебряных, а сундук в третьей комнате доверху набит золотыми монетами.

— А что же ты потребуешь от меня взамен? — спросил солдат ведьму.

Старуха ответила, что деньги ей не нужны, и попросила принести ей старое огниво, которое забыла в подземелье ещё её бабушка. Солдат согласился, ведьма обвязала его верёвкой, и он полез в дупло. Сделал он всё так, как говорила ведьма, набрал полные карманы монет и старое огниво прихватил.

Когда ведьма вытащила солдата из подземелья, он спросил у неё, зачем ей огниво. Но старуха ничего не сказала. Тогда служивый решил, что огниво, должно быть, волшебное. Сунул он его в карман, деньги положил в передник и сбежал от ведьмы. Добравшись до города, он остановился на самом лучшем постоялом дворе и зажил как барин.

Богатый человек легко заводит друзей, вот к солдату и стали приходить разные люди и рассказывать о всяких чудесах. Однажды ему поведали о прекрасной дочери короля, которая живёт в высокой башне. Когда-то ей предсказали, что она выйдет замуж за простого солдата!

Королю, конечно, предсказание не понравилось, вот почему он не выпускает принцессу из башни и никому её не показывает. Солдату очень захотелось посмотреть на красавицу, но кто его к ней пустит? Тем временем денег у него становилось всё меньше, а вскоре настал день, когда они совсем закончились. Пришлось солдату из хороших комнат перебраться в тёмную каморку.

Тут-то он и вспомнил про огарок в огниве, которое нашёл в подземелье. Достал он его и попытался зажечь. И вдруг перед ним появилась огромная собака из первой комнаты и пролаяла:

— Что желаете, господин?

Ведьмино огниво оказалось волшебным. Если ударить по кремню один раз, появлялась собака, что сидела на сундуке с медяками, два раза — которая сидела на серебре, а если ударить три раза — собака, что сидела на золоте.

Солдат приказал собаке принести денег, она убежала и вернулась с большим кошельком медяков. Так солдат опять стал богатым. И всё-таки его не покидала мысль о принцессе. Однажды он сказал собаке:

— Хочу посмотреть на принцессу!

Собака тут же исчезла и вскоре явилась со спящей принцессой на спине. Солдат увидел её и тут же влюбился. Он поцеловал принцессу на прощание, и собака отнесла её обратно в башню.

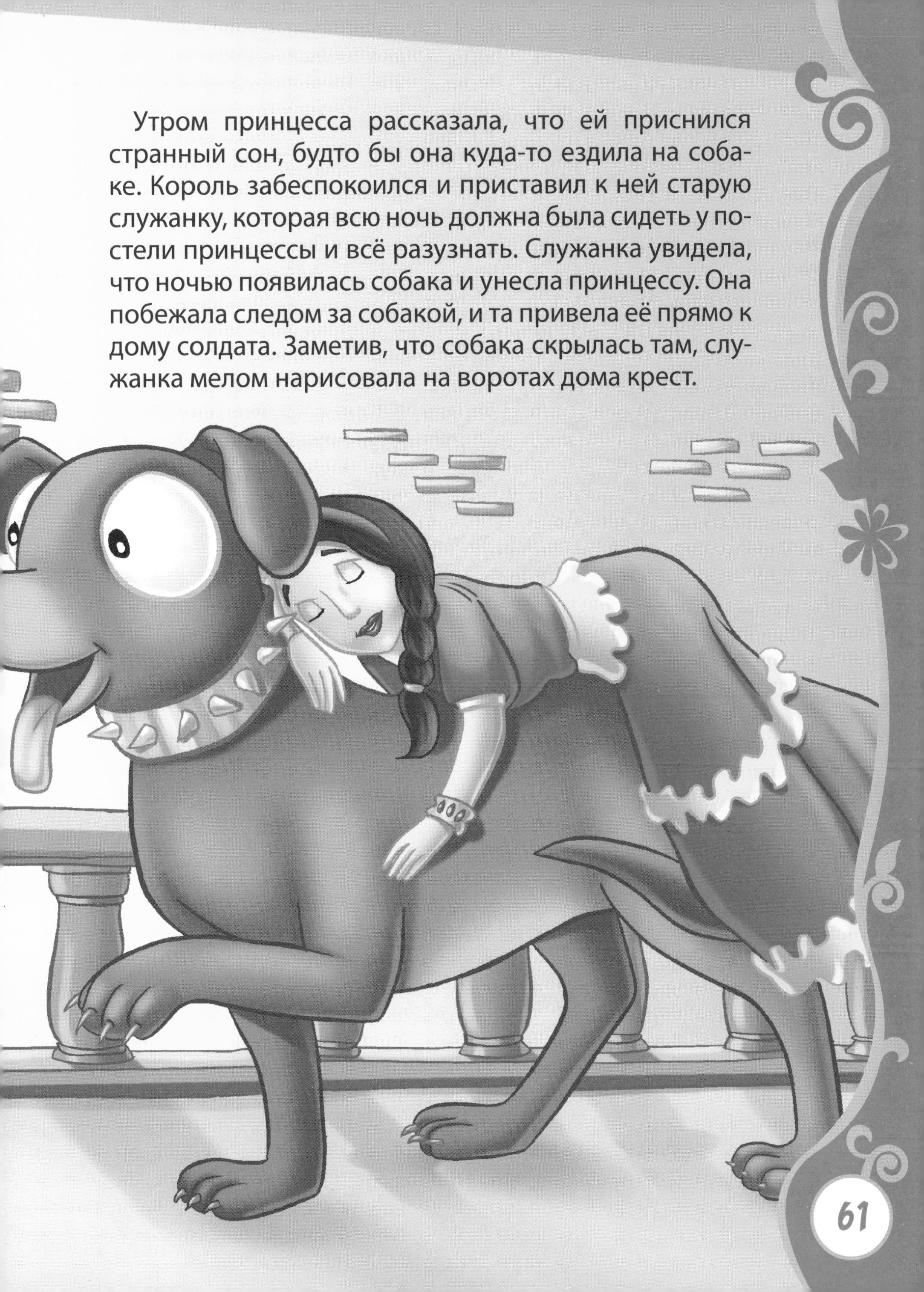

Утром принцесса рассказала, что ей приснился странный сон, будто бы она куда-то ездила на собаке. Король забеспокоился и приставил к ней старую служанку, которая всю ночь должна была сидеть у постели принцессы и всё разузнать. Служанка увидела, что ночью появилась собака и унесла принцессу. Она побежала следом за собакой, и та привела её прямо к дому солдата. Заметив, что собака скрылась там, служанка мелом нарисовала на воротах дома крест.

Вернувшись во дворец, она рассказала королю, что принцесса и в самом деле ездит по ночам на собаке в какой-то дом в городе. Король со своей свитой отправился туда, куда указывала служанка. Но каково же было их удивление, когда они увидели, что все ворота на улице помечены такими же крестами! Это собака, увидев знак, нарисовала кресты на всех соседних домах. Но королева была умна: на следующую ночь она положила в мешочек крупы и сделала дырочку, чтобы крупа высыпалась и отметила путь принцессы. Мешочек она привязала к платью дочери. Собака же ничего этого ночью не заметила.

А с утра король и королева поехали по следу из крупы и добрались до дома солдата. Схватили его, посадили в тюрьму и приговорили к смерти.

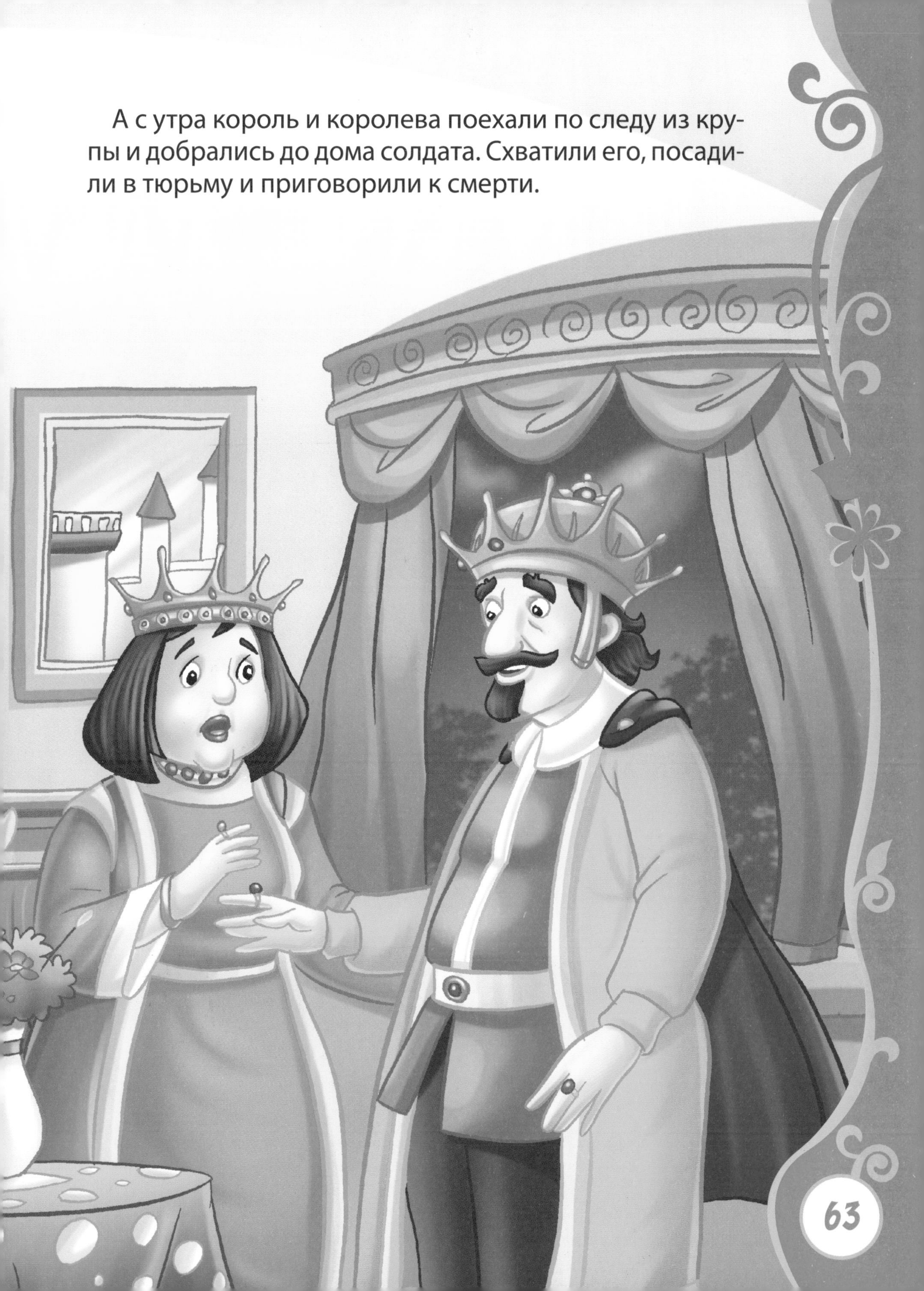

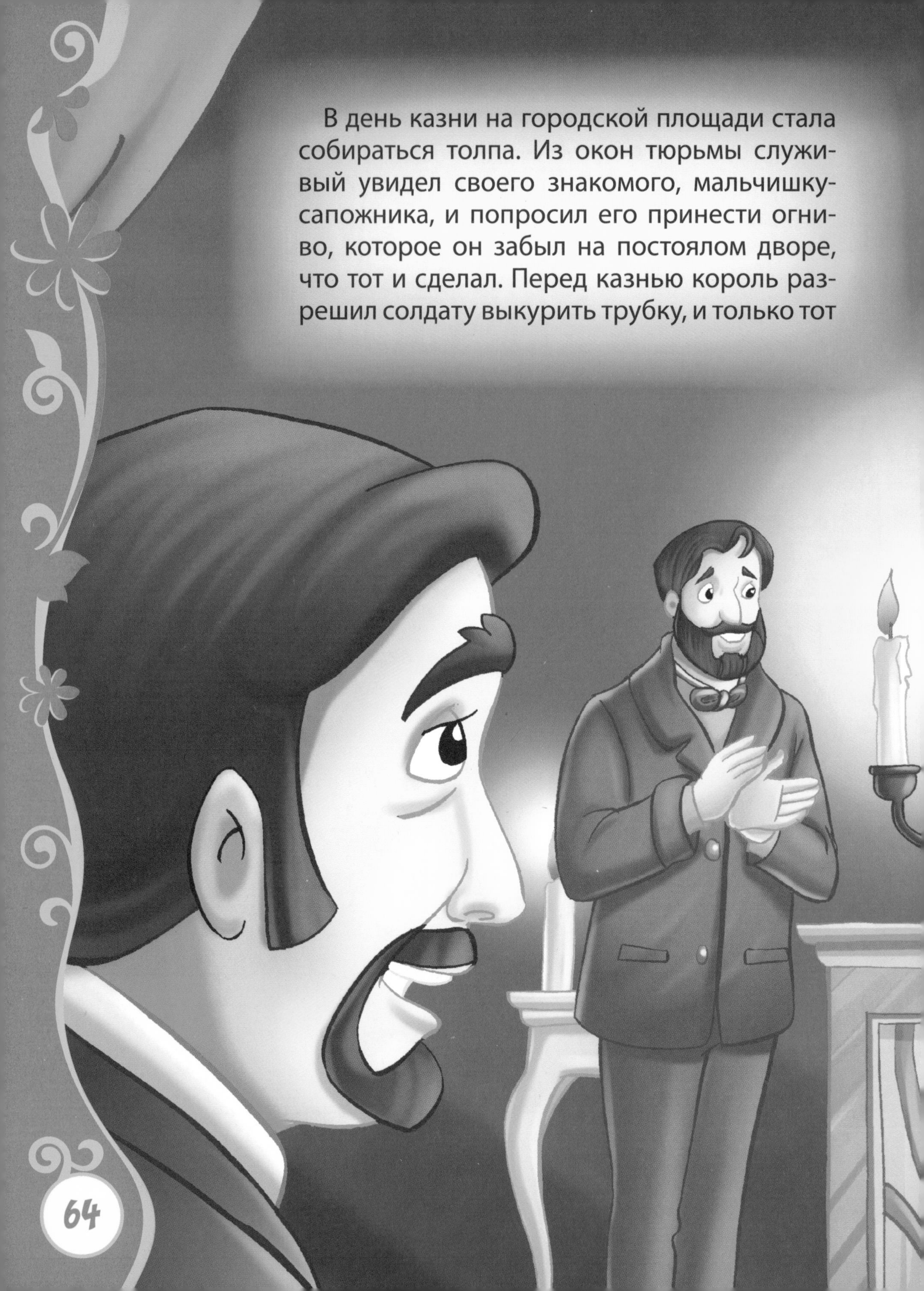

В день казни на городской площади стала собираться толпа. Из окон тюрьмы служивый увидел своего знакомого, мальчишку-сапожника, и попросил его принести огниво, которое он забыл на постоялом дворе, что тот и сделал. Перед казнью король разрешил солдату выкурить трубку, и только тот

ударил по кремню, как сразу же явились все три собаки! Король, королева, слуги и свита от страха бросились бежать без оглядки, а собравшийся на площади народ попросил солдата стать новым королём. Служивый согласился: женился на принцессе и стал королём, а принцесса — королевой.

Принцесса на горошине

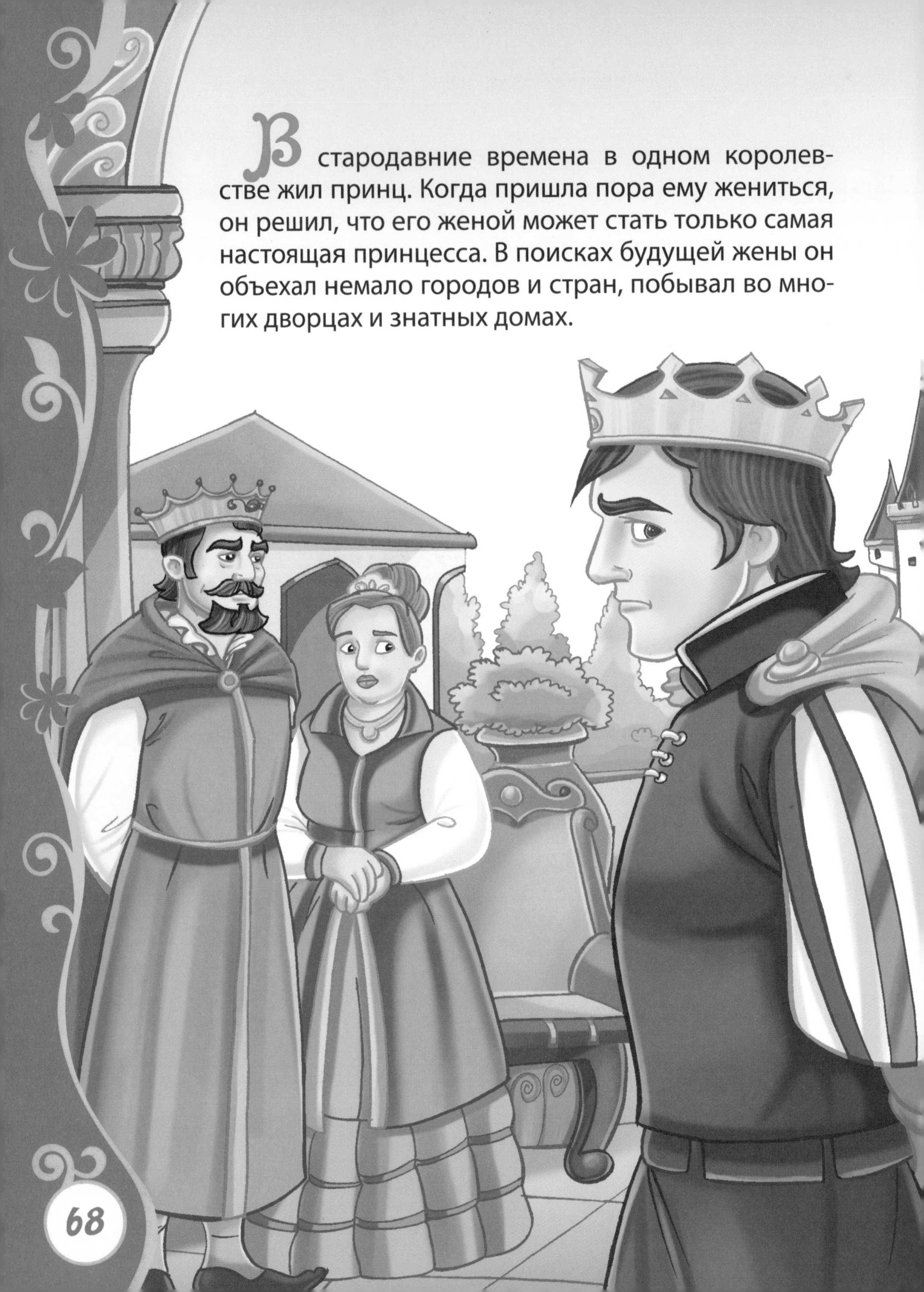

В стародавние времена в одном королевстве жил принц. Когда пришла пора ему жениться, он решил, что его женой может стать только самая настоящая принцесса. В поисках будущей жены он объехал немало городов и стран, побывал во многих дворцах и знатных домах.

Много принцесс он повидал: красивых, умных, но всё ему казалось, что настоящей он так и не встретил. Вот и вернулся принц один в своё родное королевство, печальный и разочарованный. Король и королева, хотя и слыли мудрыми правителями, ничем не могли помочь сыну.

Принц совсем опечалился: его больше не интересовали ни балы, ни охота, ни другие развлечения. Он проводил дни и вечера, сидя в одиночестве в своей спальне и мечтая о принцессе. Может быть, она всё-таки где-то была, только вот удача пока не улыбнулась ему…

Однажды поздним вечером принц, как обычно, сидел у окна. Погода как будто вторила его печальным мыслям: бушевала буря, лил дождь, громыхал гром, сверкала молния.

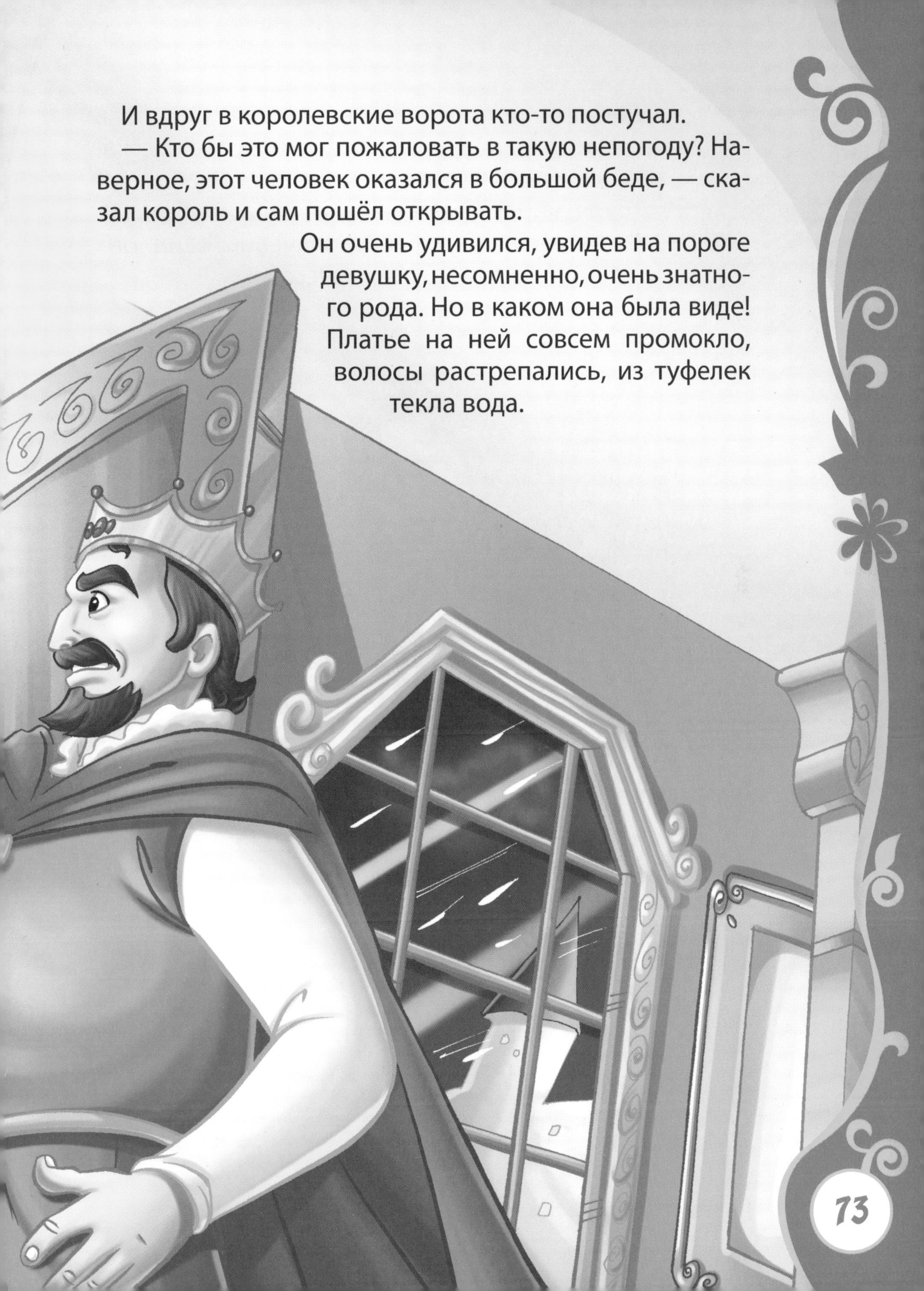

И вдруг в королевские ворота кто-то постучал.

— Кто бы это мог пожаловать в такую непогоду? Наверное, этот человек оказался в большой беде, — сказал король и сам пошёл открывать.

Он очень удивился, увидев на пороге девушку, несомненно, очень знатного рода. Но в каком она была виде! Платье на ней совсем промокло, волосы растрепались, из туфелек текла вода.

Девушка попросилась на ночлег, и король пригласил её во дворец. За ужином она рассказала королю и королеве, что в дороге её застала буря, карета разбилась, а лошади убежали. И что, несмотря на свой плачевный вид, она самая настоящая принцесса.

Королева присмотрелась к новой гостье. Теперь, когда девушка переоделась и привела себя в порядок, трудно было не заметить её красоту. И держалась она с достоинством, и манеры у неё были королевские.

«Может быть, это и есть настоящая принцесса. Но это мы ещё проверим!» — подумала королева.

Она отправилась в одну из гостевых спален, сняла с кровати все тюфяки и перины и положила на доски горошину. Потом достала двадцать одеял, двадцать перин из пуха, и всё это положила сверху на горошину. На эту постель и уложили принцессу.

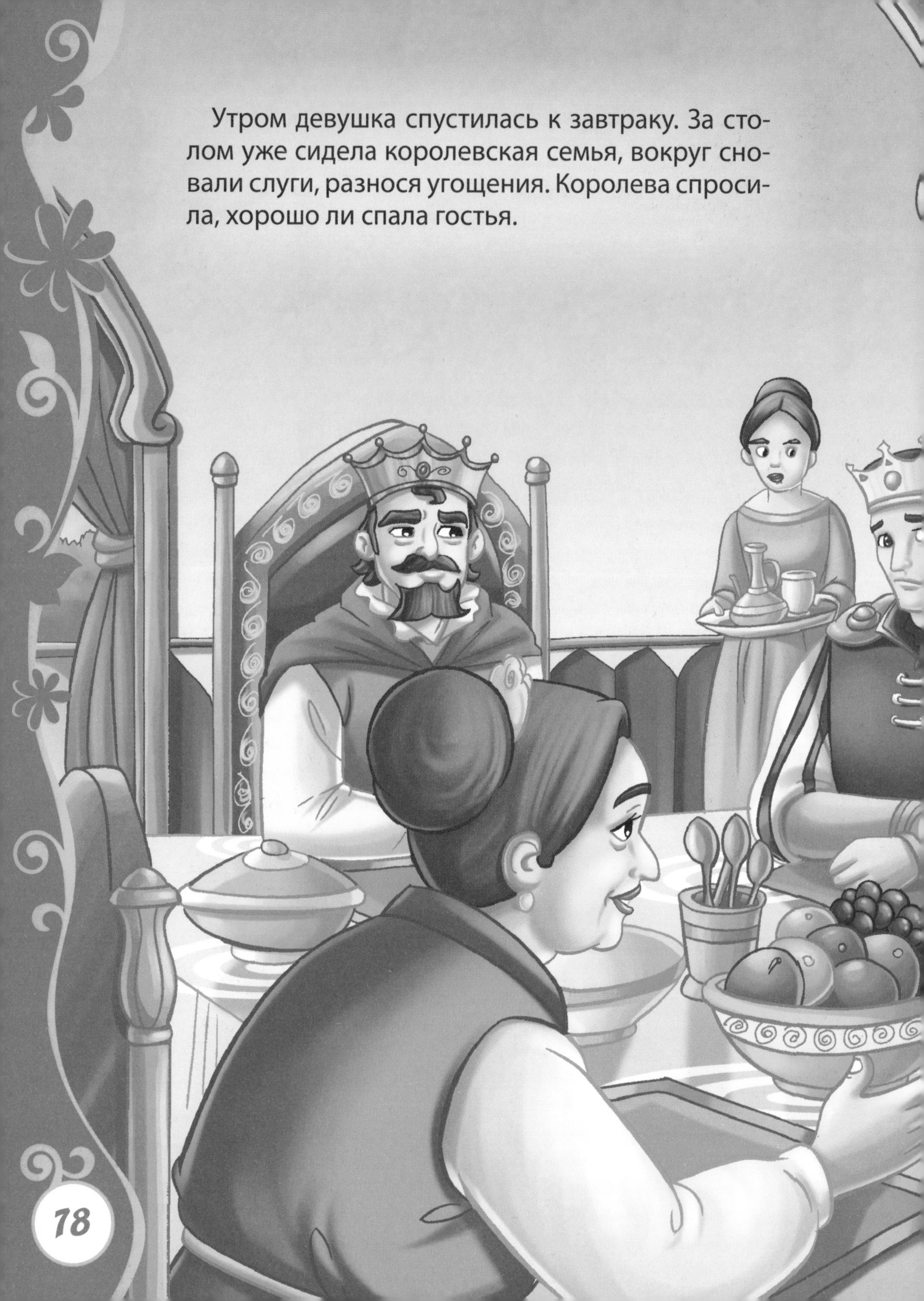

Утром девушка спустилась к завтраку. За столом уже сидела королевская семья, вокруг сновали слуги, разнося угощения. Королева спросила, хорошо ли спала гостья.

— Ох, ваше величество, мне совсем не хочется отзываться плохо о вашем гостеприимстве. Но и говорить неправду тоже не пристало настоящей принцессе. А спала я, признаюсь, ужасно. Не могла даже глаз сомкнуть! Бог знает, что там было у меня в кровати, но теперь я вся в синяках!

Королеве, да и всем остальным, сразу стало ясно, кто перед ними. Только у настоящей принцессы может быть такая нежная кожа, что она почувствовала горошину через двадцать одеял и двадцать пуховых перин!

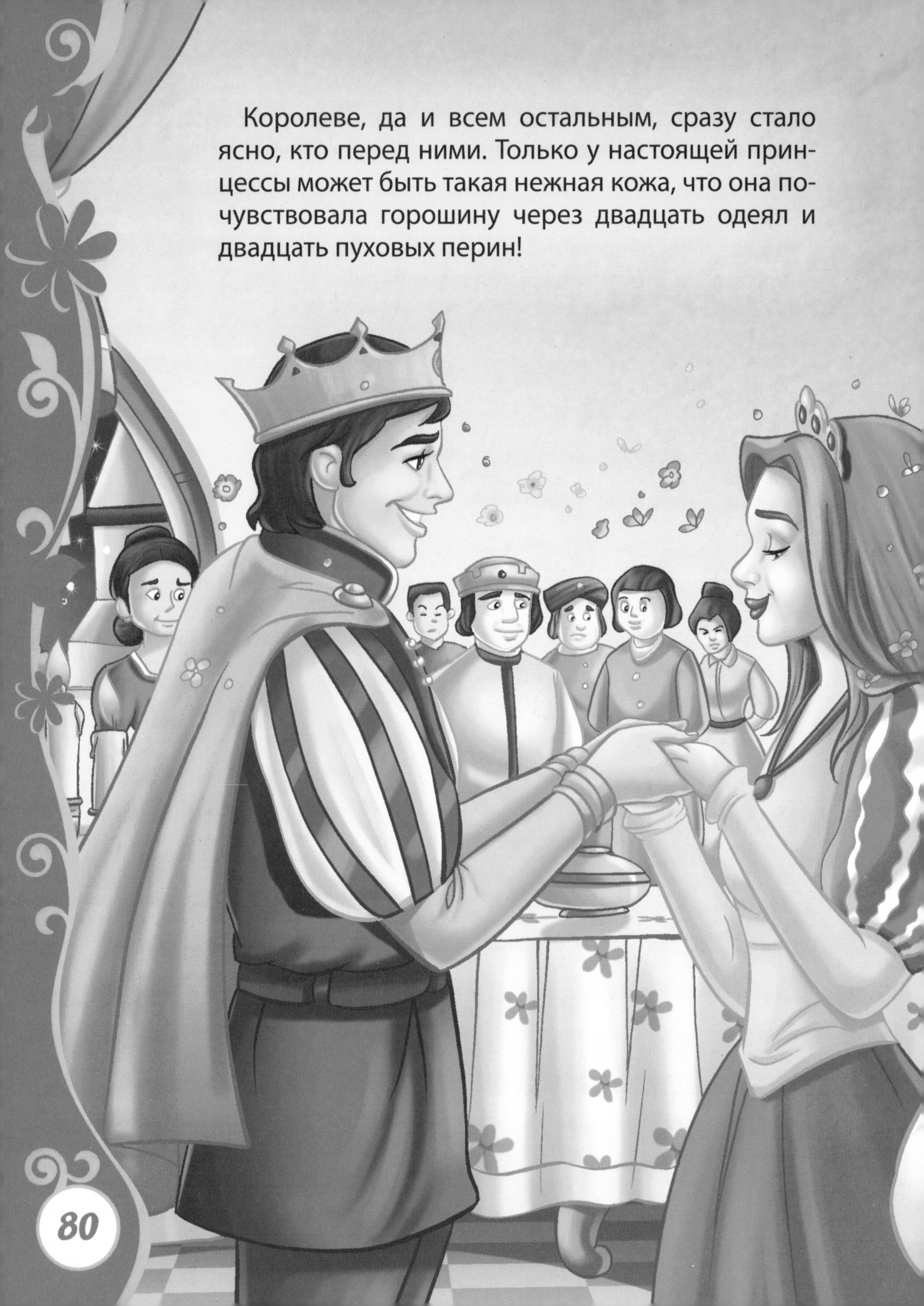

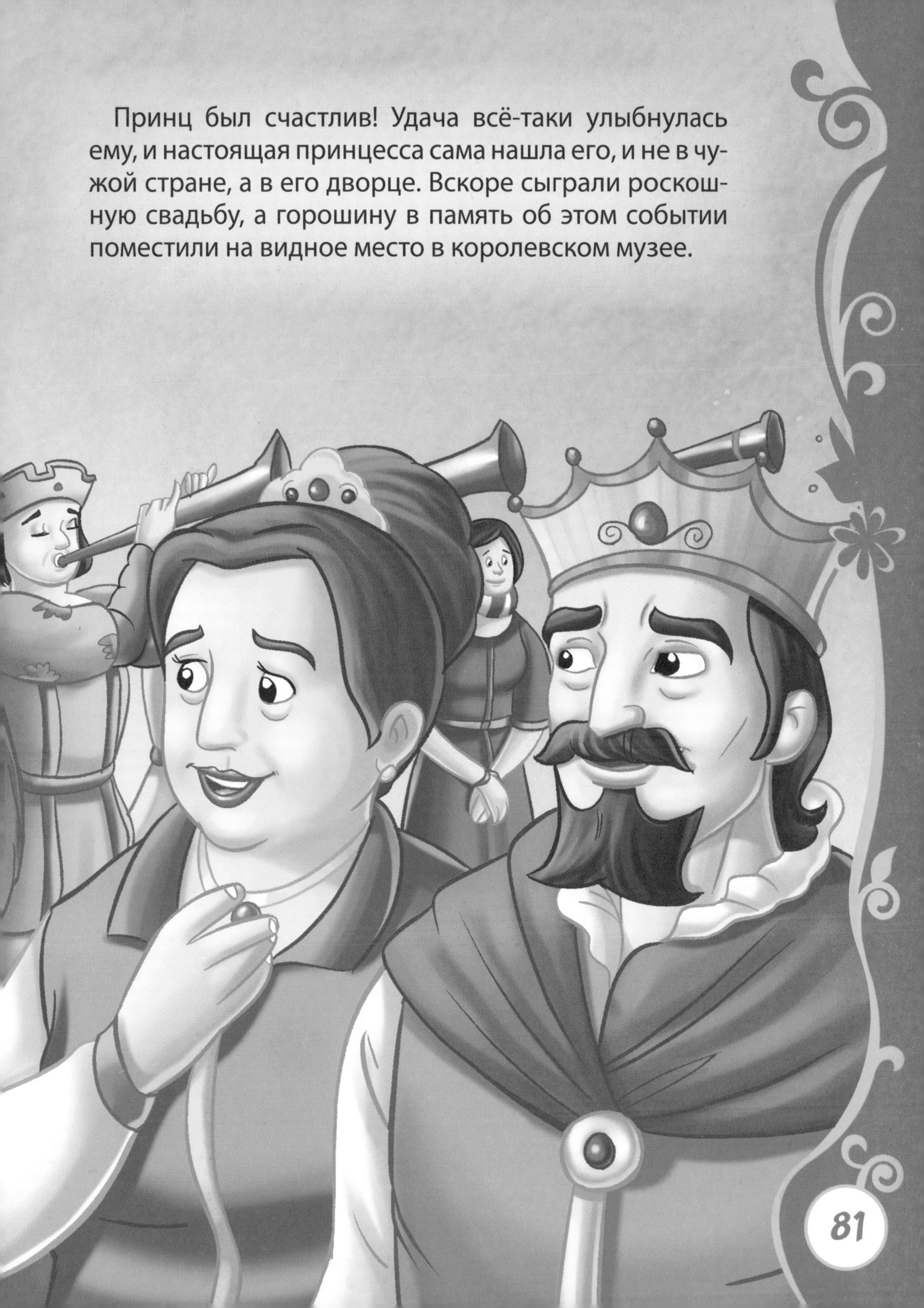

Принц был счастлив! Удача всё-таки улыбнулась ему, и настоящая принцесса сама нашла его, и не в чужой стране, а в его дворце. Вскоре сыграли роскошную свадьбу, а горошину в память об этом событии поместили на видное место в королевском музее.

Румпель-штильцхен

Жил-был когда-то в одном королевстве бедный мельник. Единственное, что у него было — это его красавица-дочь. Однажды посчастливилось мельнику беседовать с королём.

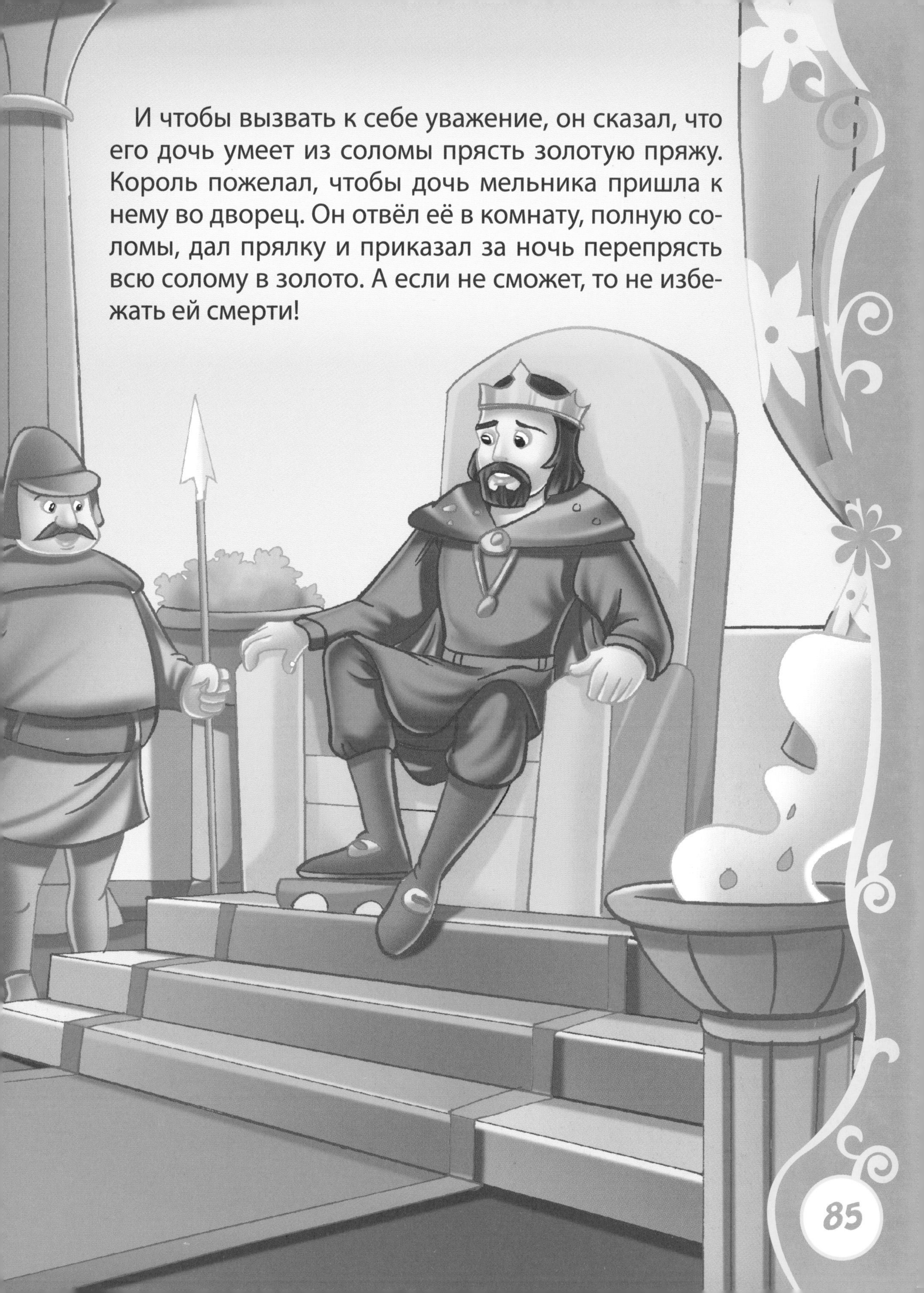

И чтобы вызвать к себе уважение, он сказал, что его дочь умеет из соломы прясть золотую пряжу. Король пожелал, чтобы дочь мельника пришла к нему во дворец. Он отвёл её в комнату, полную соломы, дал прялку и приказал за ночь перепрясть всю солому в золото. А если не сможет, то не избежать ей смерти!

Бедная девушка не знала, что делать, как спасти свою жизнь, и стало ей так страшно, что она заплакала. Вдруг дверь открылась, вошёл маленький человечек и спросил:

— Что же ты плачешь?

— Король приказал мне перепрясть солому в золото, а я этого не умею, — ответила девушка.

Человечек пообещал дочери мельника помочь, а взамен попросил отдать её ожерелье. Девушка согласилась, и человечек принялся за работу.

В его крошечных ручках солома на глазах превращалась в золотые нити! Всю ночь прял человечек, и к утру всё было готово. Король зашёл в комнату, удивился, и захотелось ему ещё золота. Отвёл он девушку в другую комнату, где соломы было ещё больше, и тоже приказал всю перепрясть в золото.

Ночью снова явился чудесный человечек и помог дочери мельника, а взамен она отдала ему своё кольцо. Наутро и эта комната вся сверкала от золотой пряжи. Король увидел это, очень обрадовался, но ему опять показалось мало.

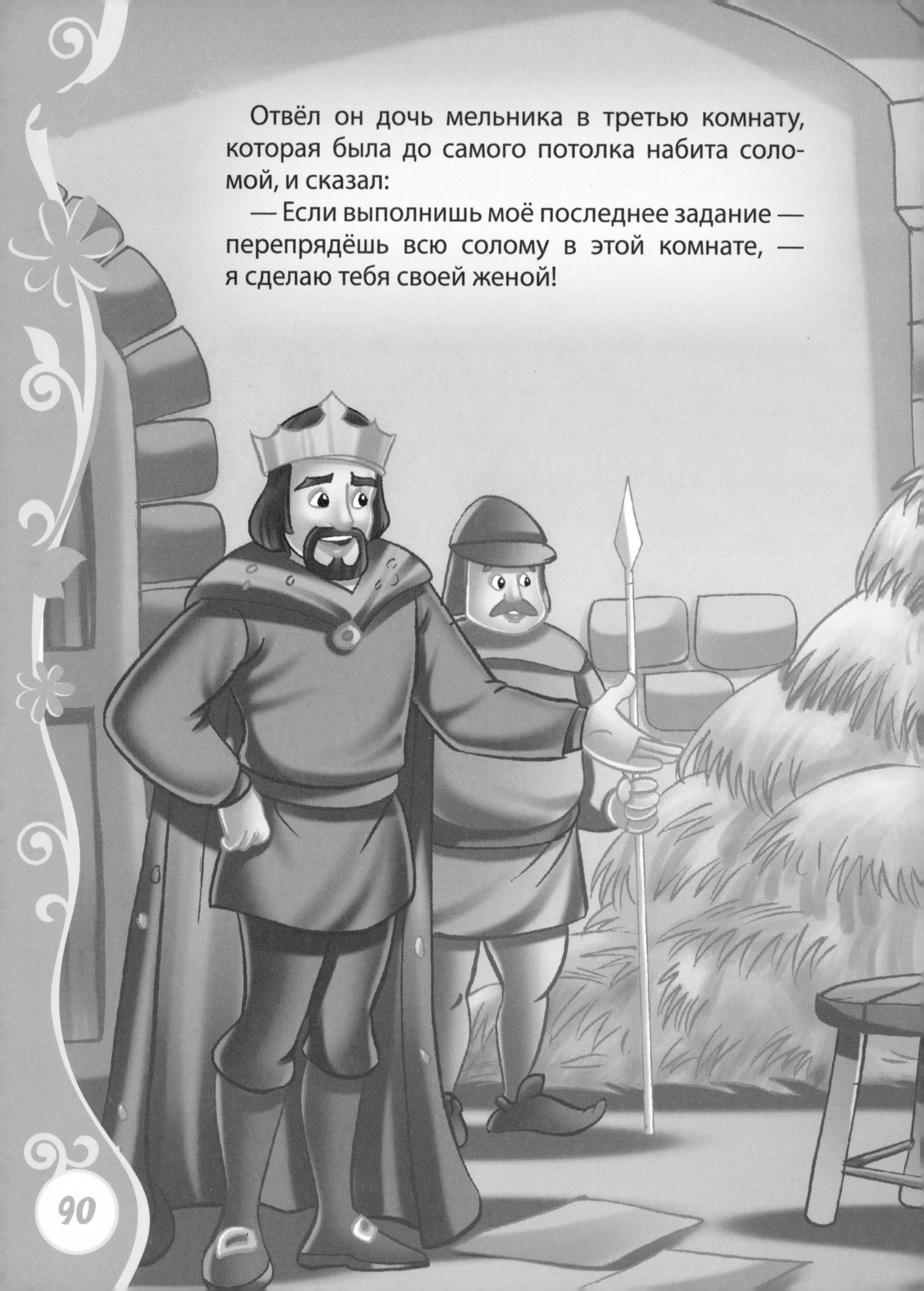

Отвёл он дочь мельника в третью комнату, которая была до самого потолка набита соломой, и сказал:

— Если выполнишь моё последнее задание — перепрядёшь всю солому в этой комнате, — я сделаю тебя своей женой!

И в третий раз явился дочери мельника маленький человечек, но девушка больше не могла ему ничего подарить. И человечек попросил её отдать сына, который у неё родится, когда она станет королевой. Дочь мельника согласилась — выбора у неё не было, а что случится в будущем, никто не знает.

Утром король увидел, что всё сделано, как он приказывал, и выполнил своё обещание — женился на дочери мельника. Через год молодая королева родила сына. О маленьком человечке она и не вспоминала, но он про уговор не забыл. И вот как-то вечером в королевской спальне открылась дверь, и человечек появился на пороге:

— Я пришёл. Отдай мне то, что обещала!

Королева испугалась и предложила ему все свои богатства, всё, что хочет из её владений, но человечек отказался.

— Последний уговор: даю тебе три дня сроку, попробуй отгадать моё имя. Если отгадаешь, дитя останется у тебя, — сказал он.

Всю ночь королева вспоминала все известные ей имена, потом послала гонца, чтобы он узнал все редкие и необычные имена по всему королевству. Много разных имён назвала королева, но человечек упорно отвечал:

— Нет, меня зовут не так!

На третий день вернулся гонец и рассказал, что он уже объездил всю страну, не узнал ничего нового и собирался возвращаться, как вдруг услышал, что рядом в лесу кто-то поёт забавную песенку. Гонец подошёл поближе и увидел избушку, перед которой приплясывал смешной человечек.

Он подпрыгивал и напевал:

Никто не угадает,
Что Румпельштильцхен
Меня называют.

От радости сердце королевы готово было выпрыгнуть из груди! Она еле дождалась вечера.

Наконец человечек пришёл и спросил:

— Ну так как меня зовут?

— Может быть, Кунц?

— Нет.

— Или Альдемар?

— Нет.

— Тогда, наверное, ты Румпельштильцхен!

— Вот несчастье! Кто же тебе подсказал? — заверещал человечек и так топнул ногой, что провалился вниз, и больше никто его не видел.

А ребёночек остался у королевы и рос здоровым и весёлым всем на радость.

Гречиха

В одном селе было большое поле, на котором крестьяне посадили гречиху, рожь, ячмень и овёс. Хлеба зрели, наливались колосья, и побеги клонили головы к земле. Только Гречиха стояла прямо, не опуская головы, и гордо поглядывала на своих соседей.

Неподалёку от поля росла старая большая Ива. И как-то раз Гречиха сказала ей:

— Посмотри, какая я сильная и красивая. А цветки-то мои до чего хороши! Скажи, видела ли ты что-нибудь лучше?

Мудрая Ива промолчала и лишь слегка кивнула. Хвастливая Гречиха обиделась и сказала, что Ива просто глупа — должно быть, стала слаба умом от старости. Вскоре подул сильный ветер, и началась буря. Все цветы и растения в поле пригнулись к земле, и ветер не мог причинить им вреда. Но гордая Гречиха по-прежнему стояла прямо.

— Склони голову! — советовали ей цветы.

— И не подумаю! — ответила Гречиха.

— Ураган прилетит с неба на своих крыльях и сдует тебя прежде, чем ты попросишь о помощи!

Но всё было бесполезно — Гречиха стояла на своём.

Вскоре ветер подул сильнее. Даже старая Ива, всегда такая молчаливая и спокойная, не выдержала и крикнула Гречихе:

— Закрой скорее свои цветочки, сверни свои листья и спрячься, иначе ураган сдует тебя!

Но хвастунья по-прежнему никого не слушала.

— Остерегайся молнии! — предупредила её Кукуруза. — Она настолько сильна и опасна, что даже люди её боятся. Молнии, которые падают прямо с неба, никого не щадят!

— Никого я не боюсь! — ответила Гречиха. — И не склоню своей головы.

Вдруг молния пронзила тучи и с огромной высоты упала на землю. Грянул гром, и начался сильный дождь. Но гроза продолжалась недолго, и совсем скоро небо посветлело, а ветер утих. Стало тихо и спокойно, ароматы свежести и влажной земли разливались в воздухе. Вот и цветы подняли свои головки, радуясь солнышку, которое выглянуло из-за облаков. Не было видно только Гречихи.

— Где же это наша хвастунья? — спросили цветы.

А Гречиха лежала на земле, еле живая после удара молнии.

Старая Ива тихо шевелила своими ветвями. Она тоже радовалась солнышку, свежему ветерку, капелькам дождя, которые блестели на её листьях. Прилетела стайка воробьёв, уселась на ветки Ивы и зачирикала.

— Видели, что случилось с нашей хвастливой Гречихой? Так ей и надо! — чирикали воробьи.

И только один Воробей почему-то был грустный. Старая Ива спросила его, почему он не радуется солнцу, радуге и свежему воздуху вместе с друзьями? Воробей ответил, что ему стало жалко гордой Гречихи.

Мудрая Ива покачала своими ветвями и ответила Воробью:

— А мне всегда было её жаль. Посмотри, как прекрасен мир! Как красивы цветы — кажется, что они надели после дождя свои лучшие наряды! Как хороши чудесные бабочки, порхающие над ними! А бедная Гречиха не видела этой красоты, она ничего не замечала, кроме себя. Зато теперь, может быть, она чему-нибудь научится. Но ты не грусти! Видишь, всё живое радуется и растёт, и у Гречихи скоро появятся новые листочки и цветы. Печаль не длится вечно — за ночью всегда наступает день, а после грозы появляется радуга!

Девочка со спичками

Был холодный-холодный вечер, последний вечер в году — канун Нового года. Шёл снег, дул сильный ветер, люди спешили к родному очагу, где их ждала ёлка и праздничный стол. И никто не замечал маленькой нищей девочки, которая одиноко брела по улицам. Девочка и вправду была очень бедна: на голове её не было ни шапки, ни даже платка, а босые ноги совсем посинели от холода. Конечно, утром девочка вышла из дома обутая. Но что за туфли были на ней? Эти старые башмаки когда-то давно носила её мать, а для девочки они были слишком большие. Но даже эти башмаки бедняжка потеряла! Из-за угла вдруг выскочили две кареты, девочка испугалась и бросилась через дорогу. Башмаки слетели с её маленьких ножек: один пропал бесследно, а второй утащил какой-то мальчишка-проказник.

И что же делала маленькая девочка в такой вечер и в такую непогоду? В кармане её старенького платья лежал коробок спичек, и ещё несколько она держала в руке. Девочка заглядывала в лица прохожих, надеясь, что кто-нибудь из этих важных господ сжалится над ней и купит её спички. Или, может быть, просто подарит монетку. Но люди отворачивались и продолжали свой путь.

Снег падал на светлые локоны девочки, но она даже не знала, как они красивы! Она смотрела на окна домов: отовсюду лился свет и доносились ароматы праздничных блюд. В канун Нового года семьи собирались за праздничным столом. Девочка не хотела возвращаться в свой дом: она боялась гнева отца, а он непременно будет зол, ведь она не добыла ни гроша. Да и дома не теплее, чем на улице, — в стенах чердака, где они жили, полно щелей... Наконец девочка нашла укромный уголок и села там, поджав ножки. Она совсем окоченела, и согреться никак не удавалось. Тогда девочка достала одну спичку и зажгла её…

Спичка загорелась, как свеча, и маленькое пламя сразу же согрело замёрзшие пальчики. В его ровном свете девочке вдруг почудилось, что совсем рядом стоит большая жаркая печь, в которой горит яркий огонь и весело потрескивают угольки. Девочка протянула было к печке ножки, но печка исчезла, а в руке осталась только обгоревшая спичка. Тогда она зажгла ещё одну спичку. Пламя осветило стену дома, которая вдруг как будто стала прозрачной, а за стеной стала видна комната со столом, уставленным разными вкусностями. Но спичка погасла, и перед девочкой опять была холодная стена.

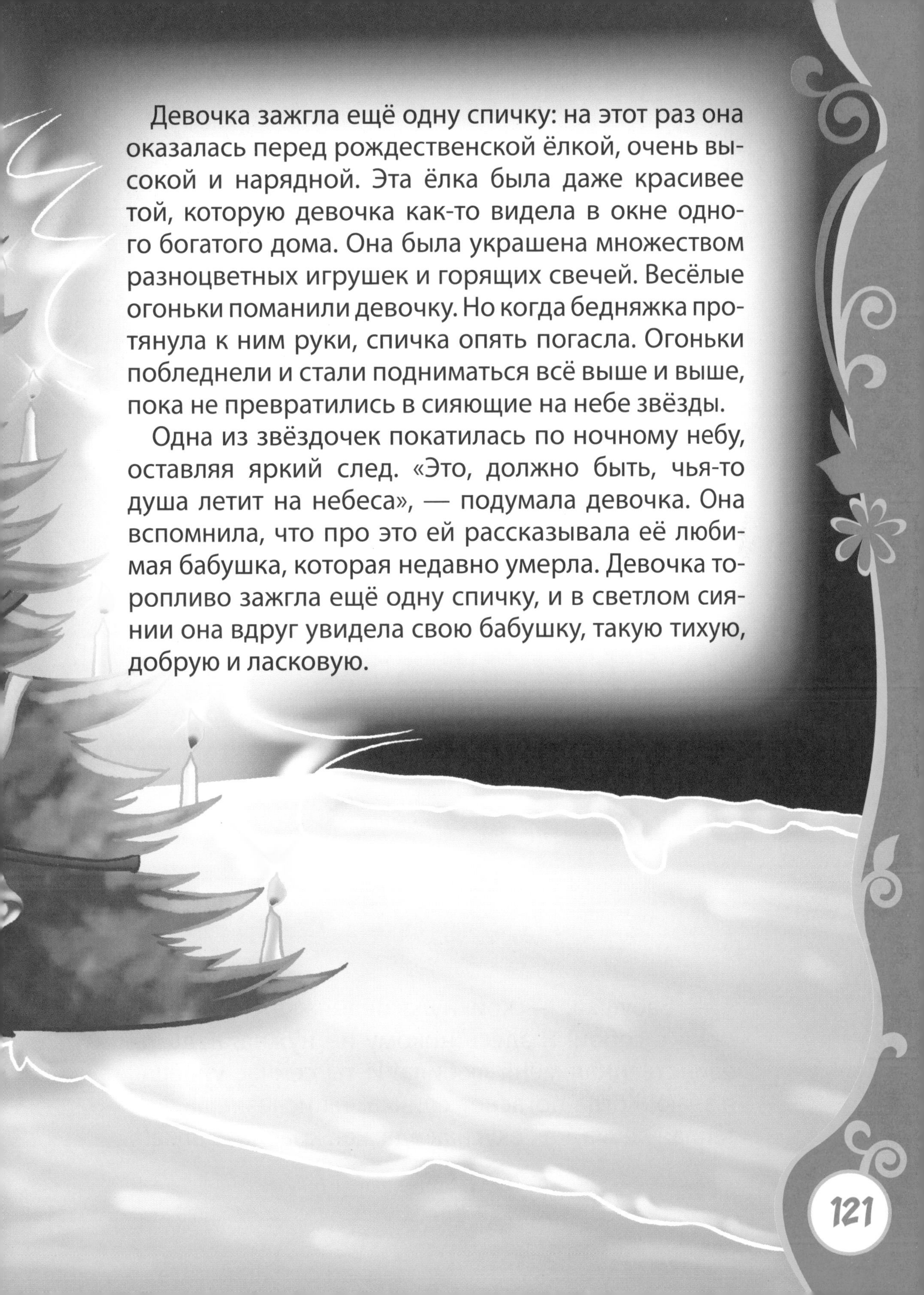

Девочка зажгла ещё одну спичку: на этот раз она оказалась перед рождественской ёлкой, очень высокой и нарядной. Эта ёлка была даже красивее той, которую девочка как-то видела в окне одного богатого дома. Она была украшена множеством разноцветных игрушек и горящих свечей. Весёлые огоньки поманили девочку. Но когда бедняжка протянула к ним руки, спичка опять погасла. Огоньки побледнели и стали подниматься всё выше и выше, пока не превратились в сияющие на небе звёзды.

Одна из звёздочек покатилась по ночному небу, оставляя яркий след. «Это, должно быть, чья-то душа летит на небеса», — подумала девочка. Она вспомнила, что про это ей рассказывала её любимая бабушка, которая недавно умерла. Девочка торопливо зажгла ещё одну спичку, и в светлом сиянии она вдруг увидела свою бабушку, такую тихую, добрую и ласковую.

— Бабушка, — крикнула бедняжка, — возьми меня с собой! Я здесь никому не нужна, ведь ты единственная меня любила! И ты сейчас уйдёшь, я знаю! Когда погаснет спичка, ты исчезнешь, как тёплая печка, как вкусная еда, как красивая ёлка!

Больше всего девочке хотелось, чтобы бабушка не уходила. Она быстро схватила оставшиеся спички, чиркнула ими, и загорелось яркое пламя! Бабушка подошла ближе, взяла девочку за руку, и они вместе стали подниматься вверх, к небесам.

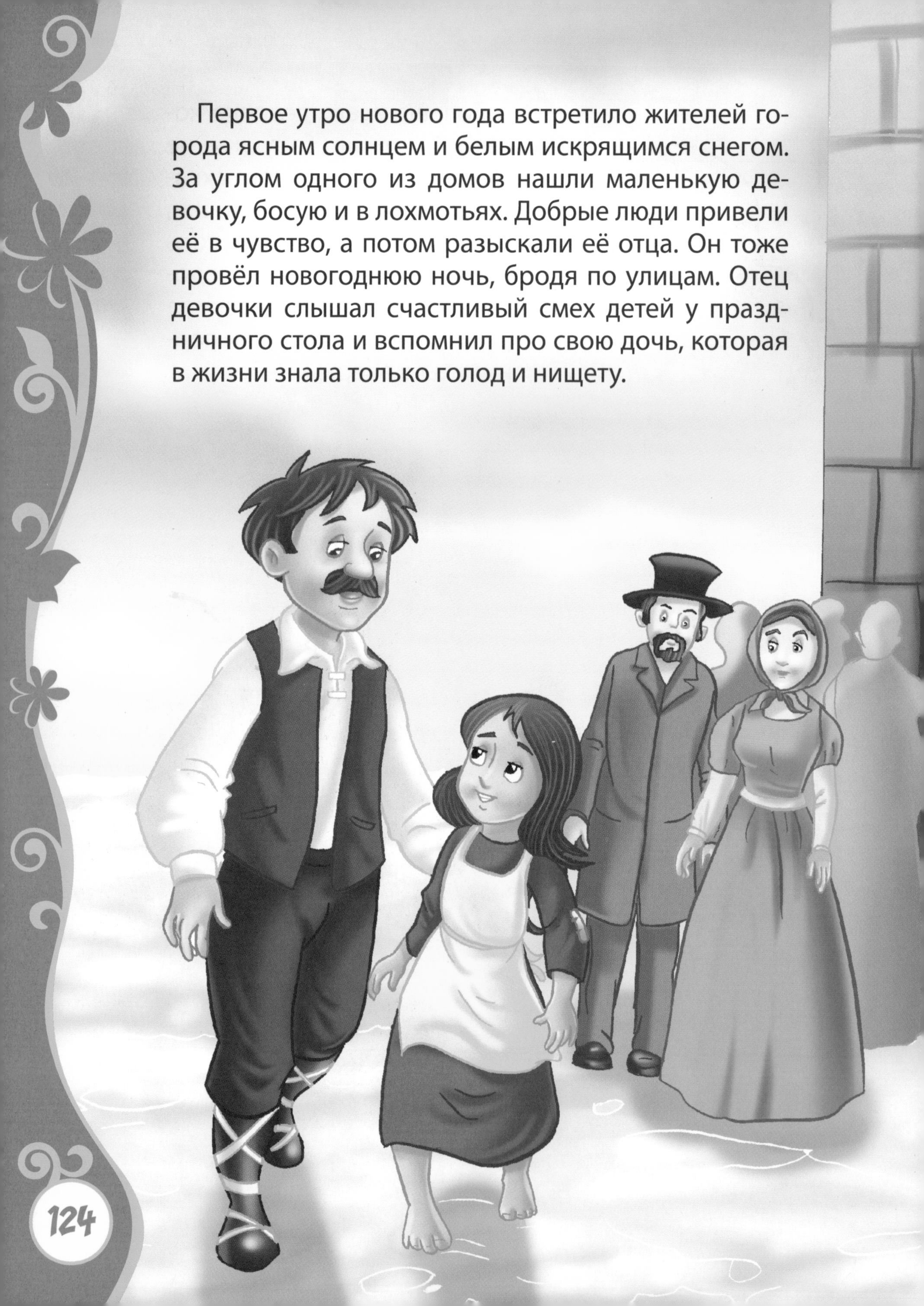

Первое утро нового года встретило жителей города ясным солнцем и белым искрящимся снегом. За углом одного из домов нашли маленькую девочку, босую и в лохмотьях. Добрые люди привели её в чувство, а потом разыскали её отца. Он тоже провёл новогоднюю ночь, бродя по улицам. Отец девочки слышал счастливый смех детей у праздничного стола и вспомнил про свою дочь, которая в жизни знала только голод и нищету.

А теперь он чуть её не потерял! Он привёл девочку домой и сказал, что обязательно выберется из нужды и подарит ей новые туфельки. Он обнял свою девочку, и они долго так сидели, прижавшись друг к другу, и в их каморке на чердаке сразу стало чуточку теплее.

Содержание

Мальчик-с-пальчик

3

Алиса в Стране Чудес

19

Джек – победитель великанов

35

Огниво
51
Принцесса
на горошине
67
Румпельштильцхен
83
Гречиха
99
Девочка со спичками
113

Литературно-художественное издание
Для детей до трех лет
Для чтения взрослыми детям
Серия «Все лучшие сказки»

МОИ ПЕРВЫЕ СКАЗКИ

Перевод с английского В. Сызрановой

Дизайн обложки Т. С. МУДРАК

Для оформления обложки использованы
иллюстрации И. ПЕТЕЛИНОЙ

Художественный редактор М. В. ПАНКОВА
Технический редактор Е. О. ЛУНЕВА
Корректор Л. А. ЛАЗАРЕВА
Верстка А. А. КОМАРОВСКОГО

Подписано в печать 15.05.20. Формат $84\times108^{1}/_{16}$.
Бумага офсетная. Печать офсетная. Усл. печ. л. 13,44.
ID 14958. Доп. тираж 7000 экз. Заказ № 4147.

ООО «РОСМЭН».
Почтовый адрес: 127521, г. Москва, ул. Шереметьевская, д. 47. Тел.: (495) 933-71-30.
Юридический адрес: 117465, г. Москва, ул. Генерала Тюленева, д. 29, корп. 1.
www.rosman.ru

ОТДЕЛ ПРОДАЖ:
(495) 933-70-73; 933-71-30;
(495) 933-70-75 (факс).

EAC

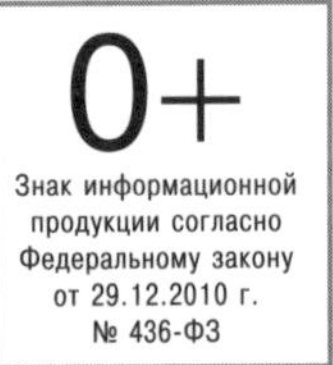

Дата изготовления: июнь 2020 г.
Отпечатано в России.

Әдеби-көркем басылым
3 жасқа дейінгі балаларға арналған
Ересектер балаларға оқуы үшін
Өндірілген күні: маусым 2020.
Ресейде басылған.
Өндіруші: "РОСМЭН" ЖШҚ, Ресей, 117465, Мәскеу, Генерал Тюленев көшесі, 29-үй, 1-корпус.
Наразылықтарды қабылдауға уәкілетті тұлға: "РОСМЭН" ЖШҚ.
Пошталық мекен-жайы: Ресей, 127521, Мәскеу қаласы, Шереметьевская көшесі, 47-үй.
Телефон: +7 (495) 933-71-30.
www.rosman.ru
Заңды мекен-жайы: Ресей, 117465, Мәскеу, Генерал Тюленев көшесі, 29-үй, 1-корпус.
Тауар сертификатталған. КО ТР 007/2011 сәйкес келеді.

Отпечатано с электронных носителей издательства.
ОАО "Тверской полиграфический комбинат". 170024, Россия, г. Тверь, пр-т Ленина, 5.
Телефон: (4822) 44-52-03, 44-50-34, Телефон/факс: (4822)44-42-15
Home page - www.tverpk.ru Электронная почта (E-mail) - sales@tverpk.ru

М74 **Мои первые сказки** : сказки / Пер. с англ. В. Сызрановой. — М. : РОСМЭН, 2020. — 128 с. : ил. — (Все лучшие сказки).

В сборник вошли как самые известные и любимые, так и редкие, но не менее интересные сказки. Созданные великими писателями или народной фантазией, все они переносят маленьких читателей в волшебный мир, где живут принцы и принцессы, гномы и великаны, феи и колдуньи и где всегда побеждает добро.

ISBN 978-5-353-05560-0

УДК 82-34-93
ББК 84 (4)